Rosemary Wells
Le Noël de Max

l'école des loisirs
11, rue de Sèvres, Paris 6ᵉ

A Beezoo Wells

Traduit de l'américain par Isabelle Reinharez
©1987, l'école des loisirs, Paris, pour l'édition en langue française
©1986, Rosemary Wells
Titre de l'édition originale: «Max's Christmas» (Dial Books, New York)
Loi n° 49.956 du 16 juillet 1949 sur les publications destinées
à la jeunesse: septembre 1987
Dépôt légal: mars 1988
Imprimé en France par Aubin Imprimeur, Poitiers. Ligugé

«Devine, Max!»
a dit sa sœur Marie.
«Quoi?» a dit Max.

«Demain c'est Noël, Max», a dit Marie,
«et tu sais qui va venir?»
«Qui?» a dit Max.

«Le Père Noël, voyons»,
a dit Marie.
«Quand?» a dit Max.

« Ce soir, Max, il vient ce soir ! »
a dit Marie.
« Où ? » a dit Max.
« Crache, Max », a dit Marie.

«Le Père Noël va descendre par la cheminée
tout droit dans notre salon»,
a dit Marie.
«Comment?» a dit Max.

« Assez posé de questions, Max,

dépêche-toi de t'endormir
avant que le Père Noël arrive », a dit Marie.

Mais Max voulait rester debout
pour voir le Père Noël.
«Non, Max», a dit Marie.

«Personne ne voit jamais le Père Noël.»
«Pourquoi?» a dit Max.
«PARCE QUE!» a dit Marie.

Mais Max n'a pas du tout cru Marie.

Alors il est descendu tout doucement...

... et il a attendu le Père Noël.

Max a attendu longtemps.

Tout à coup... ZOOM ! Le Père Noël
a sauté de la cheminée
dans le salon.

«Ne regarde pas, Max!» a dit le Père Noël.
«Pourquoi?» a dit Max.
«Parce que», a dit le Père Noël,
«personne ne doit me voir!»

«Pourquoi?» a dit Max.
«Parce que tout le monde doit
être au lit», a dit le Père Noël.

Mais en cachette Max a quand même regardé
le Père Noël. «Devine, Max?» a dit le Père Noël.
«Quoi?» a dit Max.

«Il est temps que je m'en aille
et que toi tu dormes»,
a dit le Père Noël.
«Pourquoi?» a dit Max.

«PARCE QUE!» a dit le Père Noël.

Marie est descendue.
« Que s'est-il passé, Max ? » a demandé Marie.
« A qui tu parlais ?
Où as-tu trouvé ce chapeau ?

Max! Pourquoi ta couverture est-elle toute pleine de bosses?»

«PARCE QUE!» a dit Max.